Le petit Toupie rouge

Texte et illustrations :
Dominique Jolin

– Aujourd'hui, chuchote Toupie à Binou, c'est toi le grand méchant loup !

– Bonjour,
monsieur le loup !
lance Toupie.

– Comme vous avez
de **grandes** oreilles…
C'est pour mieux m'écouter,
n'est-ce pas ?

– Comme vous avez
de **grands** bras…
C’est pour mieux
me chatouiller, je crois.

– Comme vous avez
un **grand** sourire...
Mais ce n’est pas pour me
manger, ça !

– Oh ! Comme vous avez
l’air méchant…

– Et comme vous avez de grandes dents… Ça y est ! Vous pouvez me manger !!!

– Aaaah ! Le loup va
me dévorer !
crie le petit Toupie rouge.
Il court, il court...

... mais le loup s'est endormi.

– Hou ! hou ! monsieur le loup ! C'est maintenant que tu dois me manger !

Binou !

À ces mots, le grand méchant Binou ouvre les yeux, **saute** sur le petit Toupie rouge et le **mange** ! ! !

Toupie aime beaucoup
jouer au grand méchant loup.

Catalogage avant publication
de Bibliothèque et Archives Canada

Jolin, Dominique, 1964-
Le petit Toupie rouge
(Toupie et Binou)
(Petites Mains)
Publ. à l'origine dans la coll. : Galipette. ©2001
Pour enfants.

ISBN-13 : 978-2-89512-537-2
ISBN-10 : 2-89512-537-6
I. Titre. II. Collection : Jolin, Dominique, 1964-.
Toupie et Binou. III. Collection : Petites mains
(Dominique et compagnie (Firme)).

PS8569.O399P47 2006 jC843'.54 C2006-940322-8
PS9569.O399P47 2006

www.dominiqueetcompagnie.com
Directrice de collection : Lucie Papineau
Direction artistique et graphisme :
Primeau & Barey
Dessin de la typographie *Toupie et Binou* :
Primeau & Barey
Dépôt légal : 3e trimestre 2006

Imprimé en Chine
10 9 8 7 6 5 4 3 2 1

Nous remercions le Conseil des Arts du Canada
de l'aide accordée à notre programme de publication.

Nous reconnaissons l'aide financière du gouvernement
du Canada par l'entremise du Programme d'aide
au développement de l'industrie de l'édition (PADIÉ)
pour nos activités d'édition.

Gouvernement du Québec – Programme d'édition et
programme de crédit d'impôt – Gestion SODEC.